MW00625211

Cómo analizar a las personas

Psicología Oscura

Técnicas secretas para analizar e influenciar a cualquiera utilizando el lenguaje corporal, la psicología humana y los tipos de personalidad

Cómo analizar a las personas

Copyright 2020 por R.J. Anderson - Todos los derechos reservados.

El siguiente libro se reproduce con el objetivo de proporcionar información lo más precisa y fiable posible. Sin embargo, la compra de este libro puede ser vista como un consentimiento al hecho de que tanto el editor como el autor de este libro no son de ninguna manera expertos en los temas tratados en él y que cualquier recomendación o sugerencia que se haga aquí es sólo para fines de entretenimiento. Los profesionales deben ser consultados según sea necesario antes de llevar a cabo cualquiera de las acciones aquí respaldadas.

Esta declaración es considerada justa y válida tanto por la Asociación Americana de Abogados como por el Comité de la Asociación de Editores y es legalmente vinculante en todo el territorio de los Estados Unidos.

Además, la transmisión, duplicación o reproducción de cualquiera de las siguientes obras, incluida la información específica, se considerará un acto ilegal, independientemente de que se realice electrónicamente o en forma impresa. Esto se extiende a la creación de una copia secundaria o terciaria de la obra o una copia registrada y sólo se permite con el consentimiento expreso y por escrito del Editor. Se reservan todos los derechos adicionales.

La información que figura en las siguientes páginas se considera en general una exposición veraz y precisa de los hechos y, como tal, toda falta de atención, utilización o uso indebido de la información en cuestión por parte del lector hará que las acciones resultantes queden únicamente bajo su competencia. No hay ningún escenario en el que el editor o el autor original de esta obra pueda ser considerado de alguna manera responsable de cualquier dificultad o daño que pueda ocurrirles después de emprender la información aquí descrita.

Además, la información que figura en las siguientes páginas tiene fines exclusivamente informativos y, por lo tanto, debe considerarse universal. Como corresponde a su naturaleza, se presenta sin garantías sobre su validez prolongada o su calidad provisional. Las marcas comerciales que se mencionan se hacen sin consentimiento escrito y no pueden considerarse en modo alguno como una aprobación del titular de la marca.

Índice

Cómo analizar a las personas

Introducción

Felicitaciones por la compra de *Cómo analizar a las personas: Psicología Oscura - Técnicas secretas para analizar e influenciar a cualquiera utilizando el lenguaje corporal, la psicología humana y los tipos de personalidad* y gracias por haberlo adquirido.

En los siguientes capítulos se discutirá cómo analizar a una persona y hacer que haga lo que quieres que haga, nada más y nada menos. En la sociedad actual, tener una ventaja en las interacciones sociales puede beneficiarte de muchas maneras. Ya sea que estés estableciendo contactos, lanzando una idea o simplemente tratando de salirte con la tuya, este libro te ayudará a aprender técnicas, te enseñará cómo influenciar a diferentes tipos de personas y a entender lo que las hace funcionar. Aprenderás a tomar lo que observas de los demás e influir en ellos para que hagan lo que tú quieres. A lo largo del camino, aprenderás más sobre ti mismo, a medida que aprendas sobre los demás. Una palabra para el sabio, lo que sigue en este libro; si se usa de manera incorrecta, podría meterte en muchos problemas.

He recopilado las técnicas que he aprendido en mi vida estudiando una lista interminable de personas influyentes, viendo cómo los políticos agitan su agenda en una forma de hipnosis prestando especial atención a los anuncios, entre un millón de otras formas creativas para convertirme en un maestro de mi universo. He estado usando las técnicas durante muchos años y he creído en ellas. Analizo cada situación en busca de una oportunidad para aplicar estas habilidades, y ha dado sus frutos en mi vida. Escribo con el propósito de que te ayudes a ti mismo y consigas lo que quieres, pero las técnicas pueden ser usadas para el único beneficio que tú quieras.

Hay muchos libros sobre este tema en el mercado y gracias de nuevo por elegir este. Se ha hecho todo lo posible para asegurar que esté lleno de tanta información útil como sea posible, por favor disfrútalo.

Capítulo 1: Análisis de las personas mediante el lenguaje corporal

De la misma manera que entrenas a un perro para que escuche tu lenguaje corporal y tus indicaciones, puedes entrenar a un ser humano para que te siga sin dudarlo. Hay algunas personas que automáticamente dirían que la obediencia ciega es algo peligroso, este libro no es para ellos. Más bien, este libro es para aquellos que entienden los beneficios potenciales asociados con un poco de control absoluto y están dispuestos a hacer lo que sea necesario para hacer ese sueño una realidad.

Esto no sucederá automáticamente, por supuesto, pocas cosas que valgan la pena se obtienen fácilmente, pero con la práctica, serás capaz de ejercer sutilmente tu voluntad sobre los que te rodean para tus propios fines. Sin embargo, el primer paso para controlar a los que te rodean es analizarlos, por lo que este capítulo tratará sobre cómo analizar a las personas basándote en su lenguaje corporal.

Cuatro temperamentos

En términos generales, hay cuatro tipos principales de personalidad, y comprender en qué clasificación se encuentra tu objetivo actual es crucial para acercarte a ellos de manera efectiva. Históricamente hablando, estos tipos de personalidad incluyen la sanguínea (entusiasta, activa y social), colérica (de mal genio, rápida o irritable), melancólica (analítica, sabia y tranquila) y flemática (relajada y pacífica).

La Dra. Helen Fisher ha actualizado esta teoría tradicional para desarrollar nombres modernos para los mismos tipos de personalidad fundamentales. Ella dice que los cuatro tipos de personalidad son: El Explorador (Sanguíneo); El Negociador (Flemático); El Director (Colérico); y el Constructor (Melancólico). Ahora, esto no quiere decir que aquellos que encuentres no tengan una mezcla de estos tipos de personalidad, pero sin embargo, seguro que tienen un tipo dominante con el que puedes jugar.

Aunque al principio conocer los diversos tipos de personalidades no te servirá de mucho, con la práctica descubrirás que puedes atribuirle a cada una de ellas peculiaridades de personalidad comunes. Con el tiempo, podrás entrar en una habitación con gente que no conoces y elegir la personalidad básica de cada persona con sólo observarla.

Aunque inicialmente, puede que te sientas nervioso, si en vez de eso te centras en el lenguaje corporal de los que te rodean y tratas de precisar con qué tipo de personalidad estás tratando. Podrías notar que la gente que te rodea no está exactamente a gusto, o quizás algunas de las personas que te rodean parecen irradiar confianza. Observarás y escucharás. Es hora de entrenar al perro.

Colérico: En términos generales, deberías ser capaz de elegir cualquier colérico en la habitación ya que son los que no pueden quedarse quietos. Si esperas influenciar exitosamente a esta persona, entonces vas a necesitar estar preparado para compensar su falta de paciencia. Normalmente puedes oír a la persona colérica antes de verla, lo que es una señal de que está de buen humor. No se necesita mucho para llamar la atención de esta persona porque está feliz de hacerlo.

Es posible que tengas la mayor dificultad con este tipo de personalidad, ya que tienden a querer compartir sus pasiones con los demás, lo que significa que a menudo son naturalmente carismáticos. Incluso pueden dominar naturalmente otros tipos de personalidad, especialmente los individuos flemáticos, lo que significa que vas a tener que tratar con ellos primero si estás en un grupo. Tienden a ser planificadores naturales, lo que significa que estarán de acuerdo con lo que digas si lo presentas como una solución lógica a un problema específico.

La mayor debilidad de muchos individuos coléricos es que pueden deprimirse o ponerse de mal humor cuando sus planes no concuerdan. Por lo tanto, una forma natural de bajarles la guardia es mencionar cómo están a punto de fracasar o sacar a relucir un fracaso particularmente doloroso del pasado. Además, debes tener en cuenta que a menudo son impacientes, ansiosos y por lo general tienen dificultades para relajarse. Si te encuentras con un individuo colérico, puedes congraciarte jugando con estas debilidades o puedes explotarlas si tienes algo más en mente.

Otro indicio de que estás tratando con una persona colérica es que tienden a ser menos emocionales que los otros tipos de personalidad. Esto significa que es más probable que no sean comprensivos si juegas con sus emociones y es más probable que sean inflexibles en general. Como tal, tendrás que apelar a su lógica si esperas progresar. Sin embargo, también puedes utilizar esta falta de emoción en tu beneficio, ya que los cólicos a menudo se sienten incómodos con las demostraciones excesivas de emoción.

Flemático: Al otro lado de la escala están los individuos flemáticos ya que van a ser los que parezcan estar más contentos con lo que está ocurriendo actualmente. Es probable que se sientan cómodos contigo o con cualquier otra persona que se les acerque, y tendrás que igualar su longitud de onda con el fin de hacer un avance positivo con ellos. Una de las mejores cosas de la flemática es que es consistente, lo que significa que una vez que los convences de que se adapten a tu forma de pensar, no tendrás que preocuparte de hacerlo de nuevo. También son naturalmente afables y prefieren reconciliar las diferencias si es posible. Sin embargo, a menudo son tímidos, lo que significa que se pueden congelar si te acercas a ellos directamente.

Los individuos flemáticos tienden a preferir la estabilidad al cambio, lo que significa que a menudo son susceptibles a las ideas que implican permanecer con el status quo. Por lo tanto, si alguna vez vas a convencerlos de ir contra la corriente, tendrás que moverte lentamente y hacerles entender que realmente no tienen otras opciones. Ten en cuenta que pueden ser pasivo-agresivos y no responden de la misma manera, esto es sólo una respuesta a su aversión al cambio y es más una respuesta automática que otra cosa. Este tipo de personas a menudo mantienen sus emociones ocultas y ponen una fachada relajada y fácil, independientemente de lo que esté pasando en el interior. Como tal, va a tomar un esfuerzo extra para romper su caparazón y aprender cómo se sienten realmente. Es posible que quieras entablar con ellos una amplia conversación para ver si puedes tener una idea de lo que les hace felices y lo que les hace enfadar. Seguir adelante sin este anuncio puede ser peligroso, ya que será difícil saber si les gusta lo que dices o si se oponen a ello. Aunque a menudo están dispuestos a comprometerse en lugar de hacer una escena, a menudo son bastante egoístas y se resienten de cualquier concesión que tengan que hacer. No olvide que no tienen problemas para guardar rencor.

Melancólico: Las personas melancólicas en la habitación probablemente serán las que te miren a ti mientras tú las miras a ellas. Son los que más probablemente desconfían de ti desde el principio, así que antes de tratar con ellos es importante planear la resistencia. Estos individuos son a menudo sometidos a un profundo pensamiento, mientras que siguen siendo sensibles a los pensamientos y voluntades de los demás. Esto puede causar que se concentren demasiado en la crueldad innata del mundo, lo que puede llevar fácilmente a los ataques de depresión.

Un rasgo útil que la mayoría de los melancólicos comparten es el deseo de perfección en todo lo que hacen, lo que los hace muy conscientes de los demás. Esto está directamente en desacuerdo con la dificultad que a menudo tienen para relacionarse con otras personas, ya que a menudo no están a la altura de los estándares de los melancólicos. Son típicamente muy independientes y prefieren hacer las cosas por sí mismos en lugar de conformarse con menos de lo que creen que merecen.

Como tal, la mejor manera de congraciarse con un melancólico es apelar al sentido de autoestima que viene con su perfeccionismo. Si puedes encontrar algo que te permita acceder a su torre de marfil, entonces naturalmente estarán mucho más inclinados a seguir tu ejemplo; después de todo, has demostrado que tienes buen gusto. También tienden a centrarse en una cosa a la vez, lo que significa que puede que necesites dirigir la conversación para asegurarte de que llegue a donde necesitas que llegue.

Sanguíneo: Los individuos sanguíneo son conocidos por ser carismáticos, impulsivos y, sobre todo, buscadores de placer. Si estás en una reunión social, entonces los individuos sanguíneos serán los más ruidosos en la sala haciendo amistad con todos los demás. Sin embargo, estos tipos de personalidad a menudo tienen dificultades para llevar a cabo las tareas, lo que significa que una gran manera de congraciarse con ellos es ayudándoles a completar las cosas que tienen la intención de terminar pero que todavía no han conseguido.

Es muy difícil avergonzar a un individuo sanguíneo, ya que son típicamente desvergonzados por naturaleza y siempre están seguros de que lo que están haciendo es la elección correcta. También son virtualmente infinitos pozos de confianza, lo que significa que nunca harás ningún progreso con ellos tratando de convencerlos de que han hecho un movimiento equivocado.

Tienden a ser muy físicos y disfrutan del contacto personal, lo que significa que igualar este deseo es una gran manera de obtener puntos extras desde el principio. También son curiosos por naturaleza, lo que significa que puedes engancharlos pronto mostrándoles algo que nunca han visto antes, o al menos prometiéndoles hacerlo. También les encanta contar historias, lo que significa que escuchar y comentar cuando sea apropiado es otra gran técnica de congraciamiento.

La mayor debilidad de los individuos sanguíneos es que tienden a sentirse controlados por sus circunstancias. Como tal, si puedes convencerlos de que la mejor manera de salir de la última situación en la que se han encontrado, entonces es probable que acepten lo que sea que estés sugiriendo sin pensarlo dos veces. Si estás en una situación social querrás tenerlos de tu lado pronto ya que estarán más que contentos de difundir la noticia de lo genial que eres a todos los demás en la fiesta.

Qué hacer con este detalle: Conocer los diferentes tipos de personalidad te ayudará a leer a la gente para decidir quiénes son realmente. A partir de aquí, puedes decidir qué técnica será necesaria para persuadirlos o relajarlos para tus propios propósitos.

Lenguaje corporal positivo

El lenguaje corporal positivo emite una buena vibración o energía que aquellos con los que hablas buscarán instintivamente más. De la misma manera, otros tendrán una buena sensación cuando estés cerca. Un signo muy revelador de lenguaje corporal positivo es si alguien se inclina hacia ti cuando habla o se inclina en una conversación. Si esto sucede naturalmente, estás tratando con una persona "flemática". Estas personas suelen ser muy seguras de sí mismas; conoce a tu tipo. Es una pequeña muestra de intimidad y puede ser aprovechada independientemente de su confianza. Emite una pequeña risa y una sonrisa genuina para corresponder a la confianza. No debería ser difícil después de eso confiar en esa persona o ganarse su confianza.

Otro signo de lenguaje corporal positivo es cuando una persona parece relajarse sin esfuerzo sin cruzar los brazos o las piernas. Esto grita, "Tengo confianza", cuando la verdad es que probablemente tengan una baja imagen de sí mismos, a pesar de mostrar una confianza total. A pesar de las apariencias, estos individuos tienden a caer en el tipo de personalidad melancólica.

Existe la posibilidad de que usted o alguien que usted observa se sienta inseguro y trate de ocultarlo. Sin embargo, si no estás tratando con la personalidad melancólica, podrías estar tratando con una personalidad colérica. Todo el mundo ha oído la frase "Finge hasta que lo consigas". Este es el dogma del tipo de personalidad colérica. Ya sea que estén hechos para algo o no, no se rendirán fácilmente.

Si te enfrentas a este tipo de personalidad, el simple hecho de descruzar tus brazos o piernas te dará un poco de confianza. Añade a eso una sonrisa genuina para la próxima persona que encuentres y mira como se ilumina un poco en respuesta. Puede que se necesite un poco de práctica, pero este tipo de lenguaje corporal te da el control de la situación.

Entendiendo el contacto visual: Este puede ser complicado ya que es fácil de malinterpretar, pero el contacto visual prolongado casi siempre es significativo de alguna manera. Si una persona puede mirarte sin apartar la vista durante más de unos segundos, entonces normalmente se siente segura a tu alrededor y es probable que sea genuina. Es probable que sea su tipo de personalidad flemática; una persona que muestra un poco de timidez incómoda. Se darán cuenta de que estás escudriñando la habitación, pero no cuentes con que te llamen por esto.

Típicamente, el contacto visual puede hacer que parezcas interesado y dice mucho sobre la persona con la que estás tratando. Si te encuentras con una persona que te mira fijamente, es probable que estés tratando con una personalidad sanguínea. Este tipo de personalidad es un observador y tiende a ser el más sincero de los cuatro. Mirando a la gente a los ojos, es su manera de probar esas cualidades. Dependiendo de la situación, puedes mirar hacia abajo y lejos por timidez. Cuando la gente es tímida, se les considera inocentes. Tus personalidades flemáticas son muy buenas en esto también. Quieres parecer inocente, no importa cuáles sean tus intenciones, la mejor opción para atraer a otras personas es mantenerlas interesadas. Ya que quieres que la gente confíe en ti, tienes que acercarte lo suficiente para analizar con qué tipo de personalidad estás tratando.

Si la otra parte mira a otro lado y hacia abajo, y luego vuelve hacia ti, aprovecha esta oportunidad para considerarlos más de cerca. Este es un signo de vulnerabilidad que significa que confían en ti, así que eres libre de hacer con esa confianza lo que quieras. Este es a menudo un buen momento para preguntarles sobre sí mismos u ofrecerles algo personal para romper el hielo. Los cumplidos son siempre una buena opción, ya que es difícil no gustar de alguien que te ha hecho un cumplido recientemente.

Sonríe: El activo más importante que alguien tiene es su sonrisa. Una sonrisa es una ventana al alma. Si caminas por la calle y alguien te da una sonrisa genuina, puede cambiarte el día. Ese es el poder que quieres llevar contigo. Este es el regalo de la mayoría de los tipos de personalidad sanguínea. Son alegres por fuera y pueden hacer reír fácilmente a la gente. Fingir una sonrisa es difícil. La verdad de cualquier sonrisa está en los ojos. Presta atención a las líneas que se forman cuando las mejillas se levantan, ya que se forma la evidencia de una sonrisa genuina.

Si le pides a alguien que haga algo y se niega, sonríe de todas formas, se sentirá mal por decir que no. Dependiendo de su reacción real, dígalo de nuevo de una manera diferente y con una voz de caricatura (humor), y siga con una voz seria. Pida el favor de nuevo añadiendo otra sonrisa. Esto se usa mejor en situaciones sociales y debe evitarse en el trabajo. A menos que seas súper guay con tus compañeros de trabajo o si estás seguro de que estás tratando con una personalidad sanguínea.

Si tu compañero de trabajo o tu jefe muestran aversión por las emociones o parecen impacientes, podrías estar tratando con una personalidad colérica. Tendrás que hacer que parezca que ellos son los líderes. Estás empujando los límites, pero no quieres que nadie reconozca este juego. No importa cómo termine, no reaccione demasiado. Si estás demasiado contento, podría matar la vibración. Lo mismo es cierto si estás demasiado molesto, sólo sonríe. No podrás cambiar tu propio tipo de personalidad ya que la teoría es que naciste así.

Sin embargo, conociendo más sobre ti mismo, puedes controlar la visualización, o incluso dominar tus debilidades para tener influencia o acercarte lo suficiente a otras personas, para que puedas analizarlas sinceramente.

Señales de personalidad negativa

Ahora que tienes una comprensión básica del lenguaje corporal positivo, veamos la oportunidad de indagar en las señales negativas que a menudo dan los diferentes tipos de personalidad. A veces, incluso las personas más confiables y genuinas pueden emitir señales de angustia a través de señales corporales, por lo que es importante tomarlas con calma para evitar ser engañados.

Si encuentras a alguien que está tratando de desanimarte, o te está juzgando, es probable que su personalidad sea flemática Si la negatividad que estás detectando proviene de alguien que exige atención o parece falso, estás en medio de un tipo de personalidad sanguínea. Quieres saber la diferencia y cómo responder a cualquiera de las dos situaciones para lograr un objetivo. Ya sea para animar a alguien, para que puedas disfrutar de su compañía o quizás necesitas alejarte de alguien que busca destruir tu aura. De cualquier manera, la práctica hace la perfección, y la observación requiere mucho de ella.

Espacio personal: Si alguien se aleja de ti, a menudo es una señal de que creen que has hecho algo malo o que representas algo negativo para ellos. Esta mentalidad se aplica a los cuatro tipos de personalidad. Duele sentirse rechazado. En lugar de sentir lástima por ti mismo, vuelve a tu reino si quieres cambiar la vibración.

Los tipos de personalidad sanguínea no se alejarán de ti. Les gusta estar cerca de la persona que están escuchando. No dejes que esto te desvíe. Insiste en que vales la pena. No lo digas, pero simplemente ajusta tu postura a una posición muy relajada. Puedes hacerlo apuntando tus pies a esa persona, sonriendo y haciendo una pregunta sobre su trabajo o de qué ciudad es. Desde aquí, aún sonriendo, pregúntale si quiere tomar un poco de aire fresco. Ahora has creado un momento íntimo con alguien que no estaba tan seguro de ti. Deja que tu personalidad optimista hable mucho si sale por la puerta contigo, ya que hay muchas posibilidades de que salga a pasear contigo porque está inquieto.

Desactivar una situación negativa: Si necesitas mantener la calma hasta que puedas salir en una situación difícil, evita sonreír. Esto ocurre cuando alguien da la impresión de que es inestable o inseguro. Aunque es probable que sea una personalidad sanguínea, que también es conocida por desconectar a la gente, intenta distinguir si están enfadados o si realmente te van a quitar las ganas de vivir. Lo que tienes que hacer es evitar mirar a la persona, pero hacer unos segundos de contacto visual y actuar como si todo estuviera bien. Este es un ejemplo extremo, pero si alguien tiene una pistola en tu cabeza, no debes asustarte y llorar. Más bien, deberías mantenerte calmado, fresco y tranquilo. Esta es la fuerza de un tipo de personalidad flemática.

Llorar y seguir adelante, irritaría a la persona y podría perder la calma y dispararte. Esto podría suceder si son un tipo de personalidad colérica, que tiene un extremo desagrado por las lágrimas y es poco comprensivo con los demás en general. en situaciones intensas ya que tiende a hacer que la gente esté un poco más tranquila y sea más probable que se doble a tu voluntad.

Mirando de lado a lado: Ya sea en un ambiente social o profesional, con quien sea que estés tratando no debes mirar de lado a lado. Esto significa que estás incómodo o aburrido. ¿Estás dando la impresión de que estás vigilado? Un tipo de personalidad melancólica puede parecer cauteloso cuando en realidad sólo está en su propio mundo. Si se enfrentan a esta situación, aprovechen la oportunidad de mostrar un lenguaje corporal positivo para controlar la vibración.

No fuerces a la persona a mirarte exigiendo atención. La personalidad melancólica suele tener un complejo y te verá como una amenaza. Por lo tanto, mantén tus brazos no cruzados y sonríe cuando recibas una mirada. En algún momento, es bueno hacer una pregunta. Esto le da a la persona la oportunidad de olvidar que está incómoda. Esta persona sólo necesita saber que no está sola y que tienes algo que ofrecer.

Tocando su cara: Si una persona se frota la cara, no se siente cómoda. Este es un rasgo del tipo de personalidad colérica. No pueden sentarse quietos, y tal vez tienen una ansiedad extrema. Esto es frecuente en la sociedad actual, pero el verdadero culpable puede ser que sean impacientes. Lo mejor que puedes hacer para ganar control para que esta persona te responda es actuar como si estuvieras cansado. El letargo no es un estado mental emocional, lo cual es importante para este tipo de personalidad que es muy poco emocional.

Aunque parezca una locura, si estás cansado, piensan que no te das cuenta de que están ansiosos o sudorosos, o incluso que no eres una amenaza. Fingir estar cansado es una gran defensa para cualquier cosa que hayas estropeado. Puede que no apacigüe a tu jefe, pero para la mayoría de las situaciones sociales, estar cansado es una salida, porque todo el mundo puede relacionarse. Guarda esta herramienta, junto con todas las demás en tu caja de herramientas mentales.

Estrés: Los tipos de personalidad colérica se queman fácilmente al tratar de mantener siempre el control. Las personas estresadas son fácilmente engañadas, halagadas o manipuladas. Si realmente necesitas algo de alguien, espera un momento en que esté estresado. En ese momento, no querrán discutir. Puede que no tengan la energía para pensar bien las cosas, y tú tienes la mejor oportunidad. La clave para esto es mantener la calma y no dejar que abusen de ti. Ya que no quieres que te culpen por el estrés, sólo quieres que te sirva. Ten en cuenta que este tipo de personalidad casi siempre necesita culpar a alguien más por sus problemas.

No sólo puedes persuadir a una persona más fácilmente cuando está estresada, sino que también puedes convertirte en un héroe. Sabes que esta persona necesita que la tranquilicen, especialmente tu tipo de personalidad melancólica. Necesita más seguridad que cualquier otro tipo de personalidad, ya que está vestida de autoconfianza. Necesita protección contra cualquier otro estrés, y tú ofreces proporcionarles un ambiente relajante. Aquí es donde la adulación entra en juego. Déjalo ahí.

Ahora, empapado en tu dulce actitud azucarada, pide lo que quieras. Deja que tu voz sea un poco vacilante. Esta persona temerá que la dejes. Sólo mantén a una persona persiguiendo su propia historia por el tiempo suficiente para lograr tu objetivo.

Tener un objetivo en mente

Con todos los consejos que se dan, elije tu intención antes de aplicar cualquier técnica. Antes de que puedas persuadir a alguien para que actúe de forma diferente, tendrás que indagar en su mundo y averiguar por qué se resisten a ti. Una vez que conozcas su miedo o motivación, puedes minimizar el riesgo. ¿Tu intención implica explorar? Puedes dirigirte a una personalidad sanguínea, conocida por tener la curiosidad de un niño.

¿Planeas negociar un trato? Esto será más fácil con un tipo de personalidad flemática que es bastante agradable ocultando el hecho de que no tienen objetivos propios. ¿Necesitas que alguien se responsabilice de algo que necesitas hacer? Seguramente, puedes convencer fácilmente al tipo de personalidad colérica compulsiva y "mandona" de que esta fue su idea. ¿Necesitas una persona leal para lograr tu objetivo? Encuentra una personalidad melancólica. Esta es la razón por la que se levantan por la mañana, para demostrar que son confiables y abnegados.

No importa el tipo de personalidad con el que te enfrentes, es mejor que no puedan explicar la razón de no estar de acuerdo contigo o de rechazar tu influencia. Sacude la cabeza y actúa un poco decepcionado. Si tienen una actitud o quieren discutir, siempre, y quiero decir siempre, tomen el camino correcto y limpien el desorden usando frases como, "Respeto tu opinión o creencia, nuestra amistad no vale la pena perderla". Me disculpo. Voy a reconsiderar tu posición. De verdad, lo haré". Usa un tono genuino. Sé o no en serio lo que dices, te estás ganando la reputación de ser alguien serio, y por eso, tendrás respeto.

Capítulo 2: Manipulación

Una vez que hayas obtenido una lectura decente de una persona, el siguiente paso para dominar tu entorno y analizar tu potencial en cada situación es aprender a manipular los sentimientos y reacciones de otra persona a través de pistas más sutiles, tanto verbales como no verbales. Esto creará un ambiente donde tus sugerencias pueden prosperar.

No te castigues por pensar fuera de la caja cuando se trata de analizar e influenciar a la gente. Mientras que algunas personas podrían llamarlo manipulación, puedes simplemente decirles que eres extremadamente persuasivo. Es más, no hay nada que diga que la persona a la que estás influenciando no estaba esperando una excusa para avanzar en la dirección que sugeriste de todos modos. Es tu creatividad para construir un buen plan o fórmula lo que convierte la resistencia en conformidad.

Fundamentos de la manipulación

El arte de la manipulación se basa en los principios arraigados de proteger y nutrir a otras personas, lo cual forma un vínculo emocional rápido. Es importante tener en cuenta que cuanto más fuerte sea la emoción que puedas hacer sentir a otra persona, más fácil será doblegarla a tu voluntad. La emoción es lo que controla el mundo, gana control sobre el tuyo, practica la lectura de las personas y aprende a persuadir y analizar y estarás bien encaminado para manipular a los demás con éxito.

Además de la emoción, el éxito de la manipulación se basa en el desequilibrio de poder. Puede haber momentos en los que conseguir lo que quieres de otra persona significa usar la ventaja de la corte de casa, lo que significa mantener a la persona en un entorno en el que tienes el control primario. Esto incluye tu casa, coche, oficina, o incluso tu lado de la ciudad. Esto hace que sea más difícil para tu objetivo hacer cosas como esquivar una conversación o incluso tomar una decisión que creas que puede herir tus sentimientos.

Aunque parezca sorprendente, dejar que otra persona domine la conversación es algo bueno cuando se quiere tener ventaja con ella. Puedes establecer sus debilidades subyacentes y sus fortalezas escuchando sus historias y lanzando algunas preguntas de vez en cuando, lo que también te congraciará aún más con ellos ya que te hace parecer como si estuvieras supremamente interesado en lo que tienen que decir. Sin embargo, no querrás que la conversación sea unilateral, lo que significa que querrás contarles lo suficiente sobre tu situación para que se sientan cómodos y al mismo tiempo ocultar cualquier información que debilite tu punto de vista o que pueda ser alterada para que signifique otra cosa. No tengas miedo de mentir para proteger cualquier debilidad en tu argumento.

Si alguien te está presionando por más de lo que necesita, puedes usar un tono humilde, y explicar que hay cosas sobre ti que nadie entendería, o que no eres lo suficientemente interesante como para justificar que se hable de ellas. Esto los hará curiosos, y también los nutrirá un poco, que es donde puedes engancharlos. Esto se conoce como "flipping the script" y puede ser una técnica muy efectiva cuando se usa de forma selectiva.

Si es necesario, habla de hechos y estadísticas. Divaga sobre tantos como puedas para ser un poco abrumador. En este momento, tienes que mostrar interés por su parte, pero establece que si vas a estar de acuerdo con lo que están sugiriendo, entonces vas a tener tus propias reglas. Dependiendo de la situación en la que te encuentres, esto puede ser suficiente para que "decidan" completar la tarea en cuestión por ti o para que cedan a tu sugerencia porque es más fácil que seguir tus estipulaciones.

Otra forma de manipular a una persona es cambiar la modulación de su voz. Si estás tratando de intimidar a una persona, debes ser ruidoso. Si estás buscando simpatía, pierde el tono alto por un tono deprimido y derrotado. La mayoría de las personas se inclinan por ayudar a una persona que se siente deprimida. Ahora que tienes su simpatía, pide algo. Sugiere lo que quiere de una manera que parece imposible de lograr. Espere su respuesta, que debería ser una variación de "Quiero ayudarte". Algunas personas querrán ofrecerte consejo como una forma de tranquilizarte. Para evitar perder el control de la situación tendrás que considerar su consejo y encontrar una razón por la que su lógica es defectuosa para asegurar que las cosas permanezcan bajo tu control.

Herramientas de manipulación para situaciones específicas

Una clave para lograr cualquier forma de manipulación es ver qué es lo que impulsa a la persona con la que estás tratando. Por ejemplo, ¿es una religión? Si es así, tendrías que centrarte en su devoción y encontrar una forma creativa de transmitir tu punto de vista usando su religión. Es una buena manera de reforzar su opinión de sí mismos, es que es más probable que sean piadosos e inteligentes. Siempre y cuando te concentres en sus visiones y aspiraciones utópicas, encontrarás que esta técnica es muy efectiva.

Otra herramienta útil de vez en cuando es el sarcasmo. Te permite expresar tu descontento con alguien mientras mantienes una puerta de salida como si estuvieras bromeando. Pero ten cuidado, ya que el sarcasmo puede ser insultante e hiriente si se usa mal. Después de que se le haya dado la oportunidad de desahogarse, cambia al sarcástico "qué pasaría si". Esto le permite a la persona escuchar tu opinión, y se ve como si estuvieras derrotado. Ahora pueden salvarte. Cuando te ofrezcan su ayuda, diles humildemente que no es su responsabilidad, pero que necesitas su apoyo. Es útil añadir, "¿Qué haría yo sin ti?"

Debes tener en cuenta que estás siendo manipulado todos los días. Las noticias, los medios de comunicación y los que están en el poder despliegan tácticas para mantener su atención o amenazar su seguridad por incumplimiento. Eres bombardeado con imágenes e historias que tiran de tu corazón, enfurecen tu alma, y te llevan a la acción o al aislamiento. El simple hecho de ver con qué facilidad puedes tener el mismo efecto en una persona, te permitirá reconocer cuando se te está haciendo. La conciencia es un cambio de vida. Es en este momento cuando te das cuenta de que has probado los métodos convencionales de persuasión, siendo genuino y verdaderamente cuidadoso. Anteriormente, no obtuviste nada a cambio, pero lo harás de ahora en adelante.

Sé creativo.

Necesitarás concentrarte en tu creatividad para estas tácticas de manipulación. Tu objetivo es transformar la realidad de alguien y alterar sus creencias. Cada situación es diferente, lo que significa que tendrás que ser creativo y pensar en tus pies. Debes observar las señales que una persona te está dando. Debes observar sus reacciones hacia ti y hacia los demás, ya que pueden ser muy reveladoras. A veces, el simple hecho de observar a tu objetivo interactuar con otros puede darte más información sobre cómo manipularlos.

Por ejemplo, si ves cómo reaccionó un compañero de trabajo ante un cliente, puedes usarlo para que se sienta justificado añadiendo tu opinión como salida para explicar cómo reaccionó. Ellos repetirán la excusa que les diste. Esto puede ser usado en su contra más tarde. Si estás tratando de que hagan algo por ti, sólo señala cómo reaccionaron exageradamente a ese cliente, lo que debería avergonzarlos para que sigan tu sugerencia. Deberían actuar de la manera que sugieres para minimizar tus acciones pasadas.

A veces todo lo que tienes que hacer es crear una imagen. Piensa en un giro en algo que sugiera que la persona con la que estás tratando es una víctima. Anímelos a ver cómo los demás han sido poco apreciados y perezosos en comparación con ellos. Sugiera un curso de acción y coseche los beneficios.

Si te mueres por saber lo que alguien siente sobre una situación, por ejemplo en política o religión, inventa una historia que leas en Internet que seguro que les irritará. Siéntate y observa su reacción y empieza a estar de acuerdo con ellos. Asegúrate de añadir tu perspectiva para que salgan de la historia impactante y la incluyas en tu plan. Puede que sólo estés recopilando información para mantener un perfil de alguien que es una amenaza para tu visión del éxito. Construyendo su perfil, podrás entender sus debilidades en la mayoría de las situaciones.

Tómate tu tiempo.

Puedes estar seguro de prestar especial atención a sus puntos fuertes y encontrar maneras de socavarlos. No lo lleves tan lejos como para que otros observadores puedan entender tus intenciones, y en su lugar toma siempre el camino más fácil en público para que al final del día, la mayoría de la gente sólo vea la cara pública que decidas mostrarles.

Ten en cuenta que todos quieren ser felices, lo que significa que buscan tener personas comprensivas y solidarias a su alrededor. Piensan que es raro que alguien se interese por ellos sin querer algo a cambio. Aquí es donde la paciencia se convierte en su aliada. No puedes actuar como si alguien tuviera que estar disponible en un momento dado. Cualquiera puede darse cuenta de que tienes motivos egoístas si muestras esta tendencia impaciente. Puede que te mate estar al acecho de la oportunidad perfecta, pero te mataría más ser visto como un farsante. Así que, espera. Incluso animarles a que pregunten a otros sobre la situación. Una vez que hayas probado que sólo te preocupas por ellos o quieres verlos triunfar, entonces puedes contonearte con su mente con una sutil manipulación.

Al tocar las cuerdas del corazón de otro, debilitas su respuesta. No puedes simplemente ignorar que podrían decir que no a tu petición o idea. Tienes que parecer sincero al tratar de ayudar o preocuparte por ellos. Encuentra una manera de hacer que tu "no" parezca irrazonable sin decirlo directamente. Tendrás que señalar que si alguien más actuara como lo hizo, con su mente cerrada, lo vería como algo terco u obstinado. Házles saber que el cerebro tiene una respuesta química para hacer algo nuevo y valiente. Díles que el cerebro se ilumina como un árbol de Navidad cuando se producen cambios.

La conclusión es que hay un potencial en la manipulación. Es un proceso creativo. Requiere un poco de planificación y observación. Pero si se domina, puede cambiar tu vida. Te sentirás poderoso cada día. Empezarás a ver cada rechazo como un lienzo. Es tu punto de partida. Una palabra por palabra o gesto por gesto garantiza que tienes el control.

La autopreservación es un aspecto importante de la manipulación. No debess ser visto como un manipulador. Debes ser conocido como la persona neutral que ve todos los lados pero usa la lógica para decidir por qué tu decisión es más válida. Mantén una sólida reputación de ser considerado y la gente buscará tu opinión a menudo. Esto es una ventaja desde el principio. En un nuevo grupo de personas, puedes encontrar una manera de estar de acuerdo con todos, y hacer una declaración de que siempre se te enseñó a mostrar respeto y a pensar en todos los lados antes de tomar una decisión. Esto podría hacer que los demás tomaran en consideración tu punto de vista sólo porque estabas dispuesto a hacer esto por ellos. Esto se convierte en tu reputación de pensamiento.

Hay muchas formas de manipulación que realmente pueden beneficiar a ti y a tu objetivo. No puedes sentirte culpable por tomar medidas drásticas para apelar a su oscura psicosis. Es para todos y difícilmente puede ser evitado. Es hora de que reconozcas los signos de que te está pasando y tomes el control de la situación. Empieza a pensar que cuando una persona dice que no, está siendo autodestructiva. Necesitarán que les ayudes a pensar por sí mismos. Al final, puede que incluso te agradezcan tu ayuda, como si estuvieran luchando hasta que llegues a una solución. Una vez que hayas logrado tu objetivo, haz una declaración sobre lo mucho más tranquilos y felices que parecen ahora que han probado cosas nuevas, ya que esto refuerza tu comportamiento.

Capítulo 3: PNL

PNL significa Programación Neuro-Lingüística. La PNL puede explicarse más fácilmente como una hoja de ruta para el cerebro. Los partidarios de la PNL creen que la forma en que la gente actúa y siente se basa en su percepción del mundo que la rodea. Tu mente subconsciente es la parte del cerebro con el objetivo principal de conseguir lo que percibe que quieres. Incluso puede que apenas seas consciente de lo que está ocurriendo, sólo estás programado por lo que ya has concluido sobre el mundo.

¡Pero espera! Puedes cambiar este aspecto de ti mismo, y puedes cambiarlo en otras personas también. La mente subconsciente sólo trata de servirte lo que tu mente consciente piensa y quiere. El hecho es que el mundo que la mayoría de la gente habita es bastante diferente del mundo que realmente existe. ¿Qué versión le han hecho creer? ¿Qué versión le obligará a los demás?

Para entender lo que el subconsciente quiere, hay que saber de qué se ha alimentado. Todos tendrán su propio mundo dentro de ellos. Dependerá de cómo se estimulen los cinco sentidos. Tu sistema nervioso eliminará todo lo que tu mente no pueda manejar. Lo que queda es la reducción del mundo en segmentos más pequeños que son más fáciles de manejar. Puedes identificar a lo que una persona ha reducido su mundo al ver a lo que presta atención más fácilmente.

Si se puede alterar la percepción de una persona, en última instancia se puede alterar su visión del mundo. Esta es una realización que cambia la vida porque puedes hacer que actúen de tal manera que su mente subconsciente se ponga a trabajar. Esto ocurre creyendo que esto es lo que la persona quiere en base a su experiencia. Puedes controlar el estado emocional de una persona usando este hecho.

Las cadenas de las que te aseguras o te liberas están a tu disposición prestando atención al lenguaje que les has envuelto. Usa palabras que generalizan, borran la percepción de alguien, o distorsionan su percepción basada en lo que aprendiste al observarlos.

No debería haber ninguna culpa asociada a esta técnica, ya que es utilizada en usted todos los días por vendedores, comerciales y políticos. Ellos orquestan una reacción emocional y adjuntan su producto, haciéndote creer que es lo que necesitas. En realidad es bastante desagradable el esfuerzo que se hace para hacernos a nosotros, buenos consumidores. Pero, hagamos lo mejor de esto y "volteemos el guión" usando sus técnicas para nuestro propio beneficio personal.

Piensa, por un segundo, en la última vez que compraste algo que no necesitabas. Hubo algún tipo de conexión emocional, y terminaste con el producto inútil o innecesario. Lo más probable es que ni siquiera recuerdes por qué lo compraste. Ese es el efecto que podrás tener en otros, todo lo que necesitas hacer es distorsionar el sentido de necesidad de tu objetivo, proporcionar una nueva necesidad basada en su modelo de mundo. La PNL ofrece muchas ventajas para conseguir lo que quieres. Las emociones son extremadamente frágiles e impresionables. Cada técnica tiene su propio propósito y debe ser pensada de antemano antes de su despliegue, ya que las etapas discutidas en este capítulo son algo intercambiables. Se pueden desplazar o implementar según la reacción que se reciba o según el objetivo que se tenga en mente para el sujeto. No subestimes a tu objetivo. Pueden parecer vacilantes, pero no se rindan, este material funciona para todos. Vas a hacer una representación del mundo comunicado con una expresión rica y compleja de tu mundo modelo.

Empezando

En la etapa inicial, debes empezar a imitar lentamente a tu objetivo. Lo harás por sus manierismos e incluso por el tipo de discurso que están usando para asegurarte de que las palabras que estás transmitiendo están esencialmente escuchando un argumento en sus propias palabras. Imitar de esta manera permitirá que su argumento se deslice más allá de sus defensas mentales naturales porque lo interpretarán como un pensamiento amistoso. Por ejemplo, si estás hablando con alguien que tiene un acento, sin ser demasiado obvio o grosero, añade los patrones de sonido que utilizan en tu discurso. Esencialmente, estás fingiendo reconocer las señales sociales para que el sujeto se abra y se sienta más cómodo a tu alrededor. Puedes usar la intuición y la estructura para hacer que tu objetivo y tu sujeto se conecten al mensaje que se está comunicando.

Si te encuentras tratando con una persona visual, ellos están enfocados en lo que ven o han visto. Querrán implementar sus historias y usarlas como metáforas visuales. Algunas de las frases que podrías querer usar son, "¿ves lo que quiero decir?" o "míralo de otra manera". Esto es comprometer el núcleo de cómo se comunican. Típicamente, cuando las personas sienten que no tienen suficientes opciones, pintan el cuadro de mil opciones, basadas en el modelo del mundo que han elegido entregar.

Podrías descubrir que el sujeto se centra en lo que puede oír. La motivación sensorial auditiva debe ser invocada si este es el caso. De nuevo, prestando atención a sus propios patrones de voz, puede utilizar frases que hablen de lo que escuchan. Por ejemplo, "Escucho cada palabra que dices" o "antes de que juzgues, escúchame". Al usar esta técnica, presta atención a tus ojos y a sus reacciones. Tome nota de la dirección en la que tienden a mirar cuando le escuchan.

Enriquecerá el mundo de su objetivo convenciéndolo de que tiene un conjunto más rico de opciones. Conecta el valor de las elecciones con tu modelo de mundo.

Todo lo que estás tratando de lograr en este momento es un sólido vínculo entre ustedes dos. Esto hará que sientan empatía hacia ustedes, lo que también hará que bajen la guardia. Una persona suele llegar a la conclusión de que eres una buena persona porque has aprovechado su estado psicológico y emocional. Esta es una etapa de vulnerabilidad. Están maduros para la sugestión, pero sólo si puedes hacer que parezca que es parte de tu visión del mundo.

Haciendo el siguiente movimiento

Una vez que has imitado su comportamiento, cambia sutilmente el patrón de lenguaje que usas como medio para llevarlos a donde quieres que estén en ese momento. Ten en cuenta, sin embargo, que esto va en contra de tu consentimiento, lo que significa que DEBES encontrarte con los verdaderos utilizando algunas de las técnicas descritas en capítulos anteriores con el fin de romper sus barreras naturales. Esto es muy útil cuando se trata de tratar de conseguir que alguien tome una decisión o termine algo que ya ha comenzado. Conecta con la experiencia que están teniendo ahora mismo convirtiéndote en ellos con tu lenguaje o comportamiento.

Ahora es el momento del acondicionamiento. Debes poner un cebo y colgar a tu objetivo, metafóricamente hablando, por supuesto. Como carnada, habrás usado el liderazgo con gestos físicos y el habla para orquestar un estado emocional. Por ejemplo, si quisieras transmitir un estado emocional agresivo y estresante, podrías hablar rápidamente, tocarte más la cara y usar gestos exagerados con las manos, mientras que también les indicarías que el tiempo es esencial. Una vez que los tengas acorralados, querrás colgarlos con un taco físico, como iniciar un contacto físico. Con la práctica, puedes condicionarlos a asociar el estado mental en cuestión con el tipo de contacto físico que has elegido. Puedes hacer que tengan hambre. Puedes hacer que se enojen. Podrías hacerlos reír hasta que lloren. La elección es tuya.

Tendrás que seguir imitando su lenguaje corporal para poder llevar este mensaje a casa. Querrás copiar los movimientos de sus manos, la posición de sus pies, y mirar todo lo que parecen mirar, y así sucesivamente. Tengan cuidado de nuevo, si están haciendo algo realmente extraño con sus manos o pies, no hagan exactamente lo mismo ya que serán atrapados. Es la misma estrategia con su mirada. Si están mirando de arriba a abajo, se puede notar que están imitando esto, así que sólo alcánzalos cuando parezca que están un poco más dentro del rango normal. Podrían haberlo notado un poco, así que retrocede y comienza de nuevo, ignorando cualquier otro gesto. Una vez que hayas tenido la oportunidad de hacer que bajen la guardia de nuevo, puedes proceder a imitar casi todo lo que hacen.

Espera a que tu sujeto se ría mucho o se enfade mucho. Este es un momento privilegiado para añadir su toque físico, al hombro, una palmadita en la espalda, o lo que considere apropiado. Acabas de colgarlos de nuevo. Cada vez que quieras devolverlos al estado emocional de risa o de ira. Esto podría ser cualquier estado emocional elevado, pero todo lo que tienes que hacer es tocarlos, y como por arte de magia, vuelven al estado mental que tú orquestaste.

Un consejo fascinante que quiero compartir es cómo ser vago con el discurso que estás usando. Cuanto más vago seas, más posibilidades tendrás de ponerlos en trance con éxito. Tus palabras podrían significar literalmente cualquier cosa. Toma la palabra "fuerte" por ejemplo. Podría aplicarse a las emociones, al cuerpo o a un trozo de madera. No es la palabra más descriptiva. Por el contrario, para eliminar el trance, usa palabras más específicas con un significado más profundo. Por ejemplo, la palabra "sedoso", sabes lo que significa sin importar lo que estés describiendo. Sabes que será suave y lisa.

Eso me lleva a otra de mis herramientas favoritas en PNL, que es ser tolerante y despreocupado con el discurso para influir en tu objetivo. Es fácil de hacer, pero aún así requiere práctica. Para implementar esta técnica, usted querrá tener un puñado de frases que sean sugerentes, orientadas hacia su objetivo. Estos son algunos de mis ejemplos favoritos, "siéntase libre de sentirse como en casa". O "eres bienvenido a probarlo primero si quieres". Esto es asegurarse la confianza y el permiso de una persona para controlar cómo se siente.

Preste atención a los ojos de su objetivo, como mencioné antes, trate de reunir un patrón de cómo reciben la información que usted les está dando. Si están en contra de la información, ¿en qué dirección se mueven sus ojos? Busca el mismo patrón si están disfrutando de la información. Aquí es donde quieres decidir cómo darles la información que se está moviendo hacia adelante. Averigua en qué estado mental les gustaría estar, basado en su tipo de personalidad y añádele lo que corresponda. Primero se dirigirán en esa dirección, asegurarán su lugar en un modo relajado y feliz, y querrán seguirlos hasta allí.

¿Debes darles la información en gran cantidad o reaccionan mejor a trozos más pequeños de información? Decide y reparte en consecuencia. Si puedes repartir la información en porciones más pequeñas, es más probable que sea recordada. A veces una persona puede necesitar más información para tomar la decisión de estar listo para dar más si es necesario. Comprueba si generalizan el tema. Generalizar impide que una persona haga distinciones. Esto restringe su capacidad de ver una gama más amplia de opciones, reduciéndola a aquellas sobre las que tiene una influencia directa. Sigue haciendo referencia a cualquier información que te hayan proporcionado y entrega resultados positivos para las elecciones que hayas hecho. Envuélvelo en una historia que hayas contado, pidiéndoles que piensen en un momento en el que se sintieron así.

Pensamientos finales

Las últimas cosas que me gustaría mencionar sobre este tema es cómo conspirar contra la gente. Esta es otra olla de oro de programación de PNL. Piensa en estos escenarios: Mamá contra el niño; Marido contra la esposa; Jefe contra el empleador, etc. Ahora piensa en destacar un punto como este: "vas a trabajar como un esclavo y coger el autobús para ir al trabajo todos los días, mientras tu jefe vuela en un jet privado" o "si ganas todo el dinero, ¿por qué tu mujer tiene que elegir qué casa vas a comprar?". Estos son sólo algunos ejemplos.

Recurrirá a su propia creatividad para encontrar la frase que se adapte a su tema y a sus objetivos. La PNL es realmente un estudio del "por qué". Puedes controlar el "por qué". Puedes cuestionar el "por qué" de otra persona. No hay manera de fallar con la PNL, sólo puedes obtener conocimiento y retroalimentación. Cada vez que practiques estas habilidades, tendrás un sentido más fuerte de cómo reaccionar y hablar con diferentes tipos de personas. Ya que cada persona es un poco diferente, esta es una gran herramienta que puede ser usada en cualquiera.

Lo mejor de aprender PNL para influenciar o analizar tu objetivoo es que le permite ver las técnicas que han sido usadas previamente en ti, probablemente sin tu conocimiento o consentimiento. Apreciarás la habilidad de obtener lo que quieres y de protegerte contra la información no deseada o los argumentos de venta particularmente efectivos. Dado que las técnicas de PNL están diseñadas para poner a prueba la visión subjetiva de alguien sobre un tema, puedes hacer una simple pregunta para cambiar una visión negativa en una positiva. Esto se puede hacer diciendo, "¿cómo te las arreglas sin tener esto (inserta tu resultado deseado)?" Cuando estés recibiendo tu respuesta, presta atención a cómo respiran, y a los gestos que se usan para describirlo todo.

Esto podría arruinar el juego en tus relaciones personales. Puedes tener una relación armoniosa contigo en el asiento del conductor. Tu pareja nunca lo sabría debido a tu intimidad con ellos.

Capítulo 4: Engaño

La persona promedio dice varias mentiras cada día. Estamos entrenados para mentir para protegernos. Mentimos para proteger a los demás. Nos mentimos a nosotros mismos sin ser conscientes de ello. El hecho de que sea extremadamente frecuente no significa que no sea una gran herramienta de manipulación. Por ejemplo, ¿cuántas mentiras blancas les dicen los padres a sus hijos para proteger su inocencia, o sólo para que sea más fácil tratarlas en este momento? Ahora, estas mentiras blancas pueden ser para protegerlos, pero es para controlarlos para su propio beneficio. La mayoría de la gente está de acuerdo en que mentir a los niños protege su inocencia y vale la pena, ¿verdad?

La clave es no convertirse en un mentiroso patológico, sólo mentir cuando tienes algo que ganar y una historia a prueba de balas para respaldarte también. Debes clavar los detalles antes de repetirlos para evitar errores. Si no tienes tiempo para planear tu mentira de manera efectiva, decir la verdad, incluso si es una verdad que no apruebas, casi siempre va a ser la mejor opción.

Puedes crear una mentira efectiva de varias maneras. Puedes dejar detalles de una historia que es verdadera, para engañar a una persona; enfatizando lo que quieres que oiga. La clave es que te crean. No puedes engañar a alguien que no cree en lo que dices. Recuerda que la verdad se basa en la percepción de una persona de lo que le importa y de lo que ya ha aprendido. Tu trabajo es desafiar eso.

La verdad es que estás rodeado de gente engañosa. Mirarán sus mensajes en las redes sociales y verán imágenes de lo mucho que se divierten y lo feliz que se ve su familia, cuando en realidad, las imágenes están orquestadas, y la familia apenas se habla. ¿Alguna vez has tenido un amigo que fue engañado y actuó como si no fuera gran cosa? Lo más probable es que se sintiera devastado y que incluso dejara de creer en el amor. Ahora su vida es sólo un espectáculo. Empuja el juego y vete. Las mentiras vienen en muchas formas. Tus mentiras forman una base para analizar a una persona a un nivel más profundo, diciéndole lo que quiera o necesite oír. Deberías estar observando y guiando a tu objetivo.

Durante su entrevista de trabajo, ¿no habló su potencial empleador sobre los valores y objetivos de la empresa, haciendo parecer que usted sería afortunado de trabajar allí? En realidad, no tienen valores, no les importan una mierda sus empleados, y acabas de descubrir que han perdido la mitad de la plantilla en un año. Piensa en la entrevista, lo nervioso que estabas preguntándote si serías elegido. Te estaban mintiendo, y no te importaba por tus objetivos personales en ese momento.

Puede que ni siquiera te des cuenta de cuánto te han mentido las personas en tu vida. Al principio podrías pensar que esto sería algo horrible. Sin embargo, la razón por la que la gente miente varía y no debe tomarse como algo personal. Creemos saber qué es lo mejor para nuestros seres queridos, pero a veces pueden sorprenderte, y las razones pueden sorprenderte aún más. Por eso te animo a que seas engañoso para conseguir lo que quieres, porque al final del día si no tomas el control de tu propia vida, alguien más podría estar haciéndolo por ti. Aquí es donde tu historia es una verdad o una mentira, una mezcla de ambas, dependiendo de lo que necesites que alguien crea de ti. No dejes que otros dicten tu vida por las historias que cuentan sobre ti, especialmente a otras personas, tienes que hacer valer tu historia haciendo hincapié en como quieres que se te recuerde.

Empezando tu engaño

Ahora es tu turno de disfrutar de la mentira; de dominar el universo con tu narrativa. Crearás el mundo que quieres en tu mente, y una mentira a la vez, hará de ese mundo una realidad.

La primera mentira importante es que te importa. Tendrás que trabajar en tu empatía. Con todas las demás herramientas de este libro, deberías estar en un buen camino de inicio para entender cómo leer a la gente. La empatía es un punto de vista tomado desde la perspectiva de tu sujeto. Quieres caminar en sus zapatos. Esto te da la oportunidad de saber qué es lo que realmente quieren oír. Estás tratando de saber lo que ellos saben. Interésate por los hobbies o el trabajo de tu sujeto. Esta muestra de interés es un camino para decirles lo que quieres que piensen pero en el contexto de lo que les excita. Intenta hacer una comparación para mantener el impulso.

Asegúrate de que cuando te pongas como objetivo tu mentira, también prepares el escenario. Comienza examinando tus mensajes en las redes sociales. Empieza a publicar cosas que le interesen a tu objetivo. Es probable que comiencen a seguir tus publicaciones. Actualiza tu perfil. Vístete y pídele a un extraño que te tome una foto en la cafetería. Parecerá que la tomó un amigo y que estás fuera divirtiéndote. Pónte un traje halagador, asegúrate de que sigue siendo tu estilo y v a algún lugar de moda.

Encuentra una causa que parezca apasionante, pero que no sea demasiado controvertida. Esto te dará crédito para ser visto como una persona compasiva. La gente respetará que creas en algo, y te ayudará a aparentar tener profundidad como persona. Otra forma de hacer creer a alguien que te importa lo que dice es hacer un montón de preguntas para analizar cuáles son sus intereses. Puedes lograr esto preguntando sobre los tipos de libros que les gusta leer o cuál es su ciudad favorita en los EE.UU. Ten listas unas cuantas preguntas de seguimiento.

Cuenta tu propia historia

Escribe por lo que quieres que se te recuerde. ¿Quieres que te conozcan como una persona rica, definida por el dinero? Cuenta esa historia. ¿Quieres ser recordado por ser caritativo? Cuente esa historia. ¿Quieres ser memorable en primer lugar?

Es importante asegurarse de contar sus historias con cuidado. Voy a contarles una historia sobre mi tía rica Betty. La tía Betty ganó mucho dinero demandando a la gente y escribiendo historias para las revistas de chismes de los 90. Puso su dinero en el banco y en un fideicomiso. Me hizo fideicomisario, y yo ni siquiera lo sabía. Nadie sabía que la tía Betty tenía dinero. Conducía el mismo coche de mas de 15 años. Nunca usó ninguna joya. Bebía vino barato. Se quejaba de lo caro que se había vuelto todo. Vendió su casa y se mudó a un pequeño apartamento después de su setenta cumpleaños.

Pensé que mi tía era una de las personas más felices que conocía. No se preocupaba demasiado, citando que no estaba en sus manos. Nunca tuvo hijos propios, pero todos los años llevaba a sus sobrinos a Disneylandia. Todos los demás miembros de la familia pensaban que se moría de hambre todo el año para poder pagar ese viaje. Seguimos con todo hasta que un día murió. Mi madre me dijo que no tenía nada de valor y que un abogado se ocupaba de su último negocio que había dejado atrás. Una noche después del trabajo, recibí una llamada del abogado de la tía Betty sobre su confianza. Estaba en shock. ¿La tía Betty tenía un fideicomiso? El abogado dijo que no estaba tan lejos de mi casa y quería que firmara los papeles de aceptación, que tenían una cláusula de confidencialidad.

La tía Betty me había confiado su secreto. Tenía un montón de dinero, más de un millón de dólares. Para terminar esta historia, ella lo dejó todo a la caridad. Me pagó por asegurarme de que el abogado diera todo el dinero a la caridad. Pero nunca pude decirle a nadie cómo nos engañó a todos. La admiraba tanto por ser una estafadora, que guardé su secreto. Además, me pagó bien.

Al principio, al escuchar sobre la confianza de mi tía Betty, me sentí mal por mi madre y sus hermanos porque no tenían ni idea de quién era su hermana. Pensaban que era una pobre anciana que se quejaba mucho. Pero en cambio, era una persona generosa que creía que debía tener dinero para un día de lluvia. Odiaba la idea de pedir ayuda a cualquiera. Quería que el dinero que le sobraba se destinara a ayudar a la gente. Creía que su familia podía ayudarse a sí misma y que se pelearían por el dinero. Les mintió sobre su éxito, no directamente, sino en forma de secreto. Al final, una maravillosa organización benéfica recibió dinero que llegaría a muchas personas necesitadas. Eso ayudó a la tía Betty a dormir por la noche. Cualquiera que sean tus metas en la vida, debe estar dispuesto a protegerlas, y el engaño puede ser la única manera de evitar que otros la saboteen.

La gente está tan envuelta en sí misma que ni siquiera notará que no eres un libro abierto, publicando todo sobre ti mismo para que el mundo lo vea. Cuando te pregunten sobre tu vida, leerás el guión que escribiste. Tú decides quién eres, nadie más. Es una buena idea tener algunas historias ensayadas. Se anima a ensayar en voz alta para que puedas oír el tono y así aumentar las posibilidades de memorizar las historias. Mi forma favorita de sacar una historia para poder relacionarla con una persona es vivir indirectamente a través de la historia de otra persona, asegurándome absolutamente de que la persona a la que le estás contando la historia no conoce a la persona a la que le robaste la historia.

El punto es que a veces la verdad no te sirve ni a ti ni a tus objetivos. Una vez que te sientas cómodo con esta idea, las cosas serán mucho más fáciles para ti. La gente no necesita saber todo sobre nosotros, sólo para poder usarlo en nuestra contra más adelante. Serás más inteligente que eso. Deja que tu objetivo caiga en eso y se revele para que puedas influenciarlo. Por eso digo: el mundo es tuyo porque puedes transformarlo literalmente. Ponte a trabajar en la escritura de tu "guión".

Consejos para mentir de forma efectiva

Aumenta la empatía: Antes de empezar a manejar la verdad para tu propio beneficio, es crucial que ya hayas formado un vínculo emocional con la otra parte ya que esto hará que sea mucho más probable que te crean. Esto significa que tienes que ser fuerte, desde el principio, ya que normalmente sólo toma unos dos minutos para que una persona decida si le gusta alguien que acaba de conocer. Si se cae en el lado equivocado de esta valoración inicial, entonces va a ser mucho más difícil convencerlos de cualquier cosa, incluso de la verdad.

Por lo tanto, vas a querer observar de antemano a cualquier nuevo objetivo que esté considerando para obtener la imagen más clara posible de su tipo de personalidad. Una vez que tengas una idea general de cómo piensan y actúan, puedes introducir una versión de ti mismo que coincida con sus expectativas, haciendo que cualquier otra cosa que necesites hacer sea mucho más manejable como resultado.

Conocer las cosas comunes: La razón por la que la mayoría de la gente es atrapada cuando miente es que telegrafían sus acciones sin siquiera darse cuenta. Por lo tanto, si esperas engañar a los demás de manera efectiva, entonces vas a querer aprender entonces, para que puedas aprender a evitar usarlos. Los indicios más comunes que muestran que alguien está mintiendo incluyen gestos extraños con las manos, mirar hacia otro lado de la persona objeto de la conversación, hablar demasiado rápido y hacer una pausa antes de hablar. Si puedes eliminar estos gestos de tu propio comportamiento mientras dices una mentira, entonces habrá menos espacio entre la pregunta y la respuesta y menos razones para que la persona con la que estás hablando no confíe en ti.

Cuida tu lenguaje corporal: Cuando una persona dice una mentira, comúnmente adopta una postura defensiva y cerrada. Como tal, una gran manera de asegurar a la otra parte que no estás mintiendo es adoptar un lenguaje corporal abierto en su lugar. Esto incluye cosas como estar de pie con los brazos causalmente a los lados, lo que dice que estás abierto a la conversación de la que eres parte y estás ansioso por llegar a un consenso. También querrás asegurarte de que te pones de pie frente a ellos y te acercas lentamente a ellos mientras continúas la conversación. Por último, querrás asegurarte de que no pones nada que pueda considerarse una barrera entre vosotros, aunque sea sólo una carpeta de archivos.

Tus manos también son muy importantes, especialmente cuando interactúas con alguien nuevo. Los estudios muestran que hacer gestos con las manos hace que los demás crean más fácilmente lo que estás diciendo. Asimismo, un apretón de manos firme y no agresivo es importante para iniciar algo más que una relación causal con el pie derecho.

Conclusión

Gracias por llegar hasta el final de *Cómo analizar a las personas: Psicología Oscura - Técnicas secretas para analizar e influenciar a cualquiera utilizando el lenguaje corporal, la psicología humana y los tipos de personalidad*, esperemos que haya sido informativo y capaz de proporcionarte todas las herramientas que necesita para alcanzar tus objetivos, sean cuales sean. El hecho de que hayas terminado este libro no significa que no quede nada que aprender sobre el tema, expandir tus horizontes es la única manera de encontrar la maestría que buscas.

El siguiente paso, sin embargo, es dejar de leer ya y prepararte para seguir utilizando las técnicas discutidas en los capítulos anteriores en tu beneficio y también no sólo para entender sino para creer realmente que eres el único que puede cambiar tus experiencias en esta vida. No tienes que preocuparte de si le gustarás a la gente o no, porque ahora puedes controlar eso. Disfruta de esta nueva libertad. Preserva tus habilidades para años de uso. Espero haber sido capaz de marcar la diferencia en tus posibilidades de conseguir lo que quieres. No deberías tener problemas con la cantidad adecuada de disciplina y práctica. Los resultados de tu uso de estas técnicas dependerán de la cantidad de esfuerzo que pongas en su aplicación. Recuerda, el conocimiento es poder, las acciones son fructíferas.

Habrá muchas personas en tu vida en las que no querrás usar esto. Sin embargo, tal vez quieras compartir el libro con otros si los ves luchando. Este libro fue escrito para cualquier audiencia porque todos somos manipulados todos los días, y es una bola de cristal a las preguntas de "¿cómo?" y "¿por qué?" No mucha gente es consciente de que esto les pasa a ellos.

Espero que uses esta información de manera responsable. Es poderosa y ha sido utilizada durante siglos. Si pasas esta información, hazlo con cuidado. Tienes el mundo entero delante de ti, y es tuyo para jugar con él. Nadie debería ser capaz de engañarte ahora que estás en sintonía con el funcionamiento de esto. Definitivamente reconocerás cuando te esté pasando.

Gracias.

Antes de que te vayas, sólo quería darte las gracias por comprar mi libro.

Podrías haber elegido entre docenas de otros libros sobre el mismo tema, pero te arriesgaste y elegiste este.

Así que, un ENORME agradecimiento a ti por conseguir este libro y por leer hasta el final.

Ahora quería pedirte un pequeño favor. **¿Podrías tomarte unos minutos para dejar una reseña de este libro en Amazon?**

Esta retroalimentación me ayudará a seguir escribiendo el tipo de libros que te ayudarán a obtener los resultados que deseas. Así que si lo disfrutaste, por favor házmelo saber.

Cómo analizar a las personas